小鲁的池塘

文：〔美〕伊夫·邦廷　图：〔美〕罗纳德·希姆勒

翻 译：刘清彦

河北教育出版社

图书在版编目（CIP）数据

小鲁的池塘／（美）邦廷，（美）希姆勒编绘；刘清彦译.
—石家庄：河北教育出版社，2010.2
（启发精选国际大师名作绘本）
ISBN 978-7-5434-7364-5

I.小… II.①邦… ②希… ③刘… III.图画故事－美国－现代 IV.I712.85

中国版本图书馆CIP数据核字（2009）第119372号

冀图登字：03-2009-002

小鲁的池塘

编辑顾问：余治莹	发行：北京启发世纪图书有限责任公司
译文顾问：王 林	www.7jia8.com 010-51690768
责任编辑：颜 达 马海霞	开本：889×1194mm 1/16
策划：北京启发世纪图书有限责任公司	印张：2
台湾麦克股份有限公司	版次：2010年2月第1版
出版：河北教育出版社 www.hbep.com	印次：2010年2月第1次印刷
（石家庄市联盟路705号 050061）	书号：ISBN 978-7-5434-7364-5
印刷：北京盛通印刷股份有限公司	定价：26.80元

版权所有 翻印必究　　　　　　　　　如有印装质量问题请与印刷厂联系(010-67887676)

献给托宾，这是他的故事

　　　　　　　　—— 邦廷

　　献给谢丽尔

　　　　　　　　—— 希姆勒

　　　　*　　*　　*

如果我是一只蜂鸟

我就会为你采集花蜜

让所有的花为你盛开

　　　　　　　　—— 托宾

　　　　　　　（戴安娜幼儿园）

小鲁和我住在同一条街上，不管在学校还是在家里，他都是我的好朋友。

　　小鲁一点都不介意和我玩喝下午茶的游戏。他很喜欢我的洋娃娃。

　　我们偶尔会和我的舅舅、舅妈、表哥、表姐去散步。我们喜欢去池塘边，把脚伸进水里。有一次，我们还看见一只白鹭鸶呢！但是小鲁常常生病，有时候不能和我们一起去。不过没有关系，我们还可以做很多别的事。

我家院子的大门是绿色的，有一天，我们在门上画满了黄色郁金香，我们画得很漂亮哦！

　　有个星期六，我们用小瓶子和吸管做了一个蜂鸟喂食器，还把厚纸板剪成花瓣的形状，套进吸管，让它看起来像朵花。

　　小鲁说："这个喂食器看起来真不错，它们一定会飞来的，如果我是小鸟，我也会飞过来，我们只要耐心等就行了。"

　　小鲁生病的时候，我就会在放学后去他家。我们玩电脑游戏或练习涂色，小鲁可是涂色高手呢！

有一天，小鲁的妈妈打电话来，她说，小鲁虚脱了，已经住院了。

　　我不明白"虚脱"是什么意思。

　　妈妈告诉我："那表示他病得非常非常严重。"

　　我问妈妈："他到底怎么了，为什么老是在生病？"

　　"小鲁出生后，医生就发现他的心脏有问题，现在，情况越来越严重了。"妈妈紧紧抱着我。

小鲁在医院住了很长一段时间。

我们寄卡片给他，班上的同学还做了"祝小鲁早日康复"的横幅，准备挂在他的病房里。我一直求爸妈带我去看小鲁，可是只有小鲁的爸妈才能去看他。

我生气地大叫："要是我再也不能和他说话了，该怎么办？他是我最好的朋友，这实在太不公平了！"

妈妈摸摸我的头，对我说："亲爱的，我知道这很不公平，但这件事原本就不公平啊。"

　　我真的就再也没有办法和小鲁说话了，因为他在医院里去世了。

　　爸妈告诉我这件事的时候，我们紧紧抱在一起，哭个不停，我想，我的眼泪永远也停不住了。

那天晚上，爸妈让我睡在他们中间，他们握着我的手，直到我睡着为止。

隔天早上，难过的心情还是没有消失。

我问爸爸："那会不会只是一场噩梦？"

他说："亲爱的，我也希望是一场噩梦，可惜不是。"

我们在学校为小鲁写了一些诗，还把这些诗做成一本书。

　　这是我写的诗：

　　　　小鲁是我的好朋友，

　　　　他一直是我的好朋友，

　　　　永远永远都是。

　　我还在那首诗下面画了一只蜂鸟。

校长说，我们应该一起做一件永远纪念小鲁的事。

我说："写诗，诗可以保存很久。"每个人都同意。

但是，我们还需要在学校里，做一个可以用来纪念小鲁的东西。

老师说："也许可以种一棵树。"

校长建议："做个喷水池也不错。"

我说："小鲁最喜欢池塘了。"

就这么决定。

这个池塘就建在校园里，我和小鲁常常爬的那棵老橡树旁边，是个用水泥砌边的小池塘。趁着水泥还没干，我们在上面写下自己的名字，这样，小鲁的池塘就被我们所有人包围住了。我们还用许多小石头、贝壳和植物做装饰，让它看起来更漂亮。

　　我告诉老师："我和小鲁做了一个蜂鸟喂食器，我可以把它挂在树上吗？"

　　她说可以。

　　我在教室的座位正好在窗户旁边，所以，我就把喂食器挂在自己看得见的地方。

刚挂上去的第一天，我就看见有个亮亮的小东西，渐渐靠近窗户玻璃。

　　是蜂鸟，在阳光下闪闪发光呢！

　　我看着它，它也看着我。

　　我的心跳得好厉害呀！

　　我看着它一溜烟飞向小鲁的池塘，从花瓣状的吸管里吸取糖水。我好高兴啊！

接下来那几天，同样的蜂鸟不断出现，我知道是同一只，因为我认得它的脸。它总是先飞到窗户旁边看看我，再飞向小鲁的池塘。

　　我有一种奇怪的想法，但我知道那不可能是真的。或许，这只蜂鸟只是喜欢飞到玻璃窗前照镜子而已。可是，那个想法却一直在我的脑海里。也许我会告诉妈妈，因为我什么事都可以跟她说。

没多久，学校就要放暑假了。

我把喂食器带回家，挂在院子里，而且每天都往里面装满新鲜的糖水。

我不知道那只蜂鸟会不会找到我的家，就是这所有着绿色大门，门上画满黄色郁金香的房子。

我相信，那只蜂鸟一定会想起来。